VIDA EN UNA ESTACIÓN ESPACIAL

Explora • Descubre • Aprende

Concebido y publicado originalmente por
Weldon Owen PTY Ltd
59–61 Victoria Street, McMahons Point
Sydney NSW 2060, Australia

Renacimiento 180, Col. San Juan Tlihuaca,
Azcapotzalco, C.P. 02400, México, D.F.

Edición original
Dirección general Kay Scarlett
Dirección creativa Sue Burk
Publicación Helen Bateman
Edición Madeleine Jennings
Edición de textos Barbara McClenahan, Bronwyn Sweeney, Shan Wolody
Asistencia editorial Natalie Ryan
Dirección de diseño Michelle Cutler, Kathryn Morgan
Diseño Lena Thunell
Dirección de imágenes Trucie Henderson
Iconografía Tracey Gibson
Consultor John O'Byrne

Edición en español
Dirección editorial Tomás García Cerezo
Gerencia editorial Jorge Ramírez Chávez
Traducción Marianela Santoveña Rodríguez
Formación Itzel Ramírez Osorno
Edición técnica Graciela Iniestra Ramírez, Susana Cardoso Tinoco, Roberto Gómez Martínez
Diseño de portada Pixel Arte Gráfico

Primera edición en español, abril de 2011

ISBN: 978-1-74252-184-8 (Weldon Owen)
ISBN: 978-607-21-0332-0 (Ediciones Larousse)

Impreso en China - *Printed in China*

VIDA EN UNA ESTACIÓN ESPACIAL

Explora • Descubre • Aprende

Andrew Einspruch

Contenidos

Estaciones permanentes

No mucho después de que los humanos llegaran al espacio, comenzaron a pensar cómo quedarse allá arriba por algún tiempo. Los viajes en una pequeña cápsula espacial funcionaban para unos cuantos días, pero los humanos imaginaron todo lo que podrían hacer en semanas, meses e incluso años en el espacio. Pronto estaban diseñando estaciones espaciales: hogares permanentes o casi permanentes en los cielos.

1971

Saliut 1
Ésta fue la primera estación espacial del mundo. Fue lanzada por la Unión Soviética y los cosmonautas pasaron 23 días en el espacio, una cifra récord. Lamentablemente, tres de ellos murieron al regresar a la Tierra.

1972

Dos-2
La Dos-2 era parecida a la Saliut 1, pero al fallar el cohete espacial se precipitó al océano.

1973

Cosmos 557
Perteneció al proyecto Saliut. Una vez en órbita, el combustible se consumió por completo. Para ocultar esta falla, los soviéticos la llamaron "Cosmos 557" y permitieron su destrucción al reingresar a la atmósfera.

Saliut 2/Almaz
Almaz fue una estación espacial militar secreta, aunque se le llamó Saliut 2 para ocultarlo. Su lanzamiento fue exitoso, per en menos de dos semanas, una explosión arrancó cuatr paneles solares y la estación quedó sin energía. Se desplomó poco después.

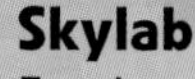

Skylab
Fue la primera estación espacial de EUA y albergó a científicos por 171 días.

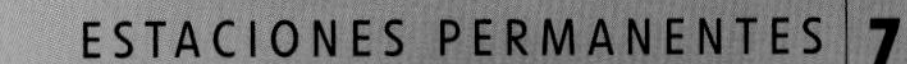

¡Es increíble!

La primera estación espacial, Saliut 1, pesaba 18.4 t. La Estación Espacial Internacional pesa 344 t: más de 18 veces.

Saliut 3/Almaz
Fue otra estación espacial militar soviética lanzada exitosamente y ocupada por una tripulación durante 16 días.

1974

1975

Saliut 4
Esta estación espacial científica albergó a dos tripulaciones soviéticas durante 93 días.

1976

Saliut 5/Almaz
Ésta fue una estación espacial militar soviética que ocuparon dos tripulaciones durante 67 días.

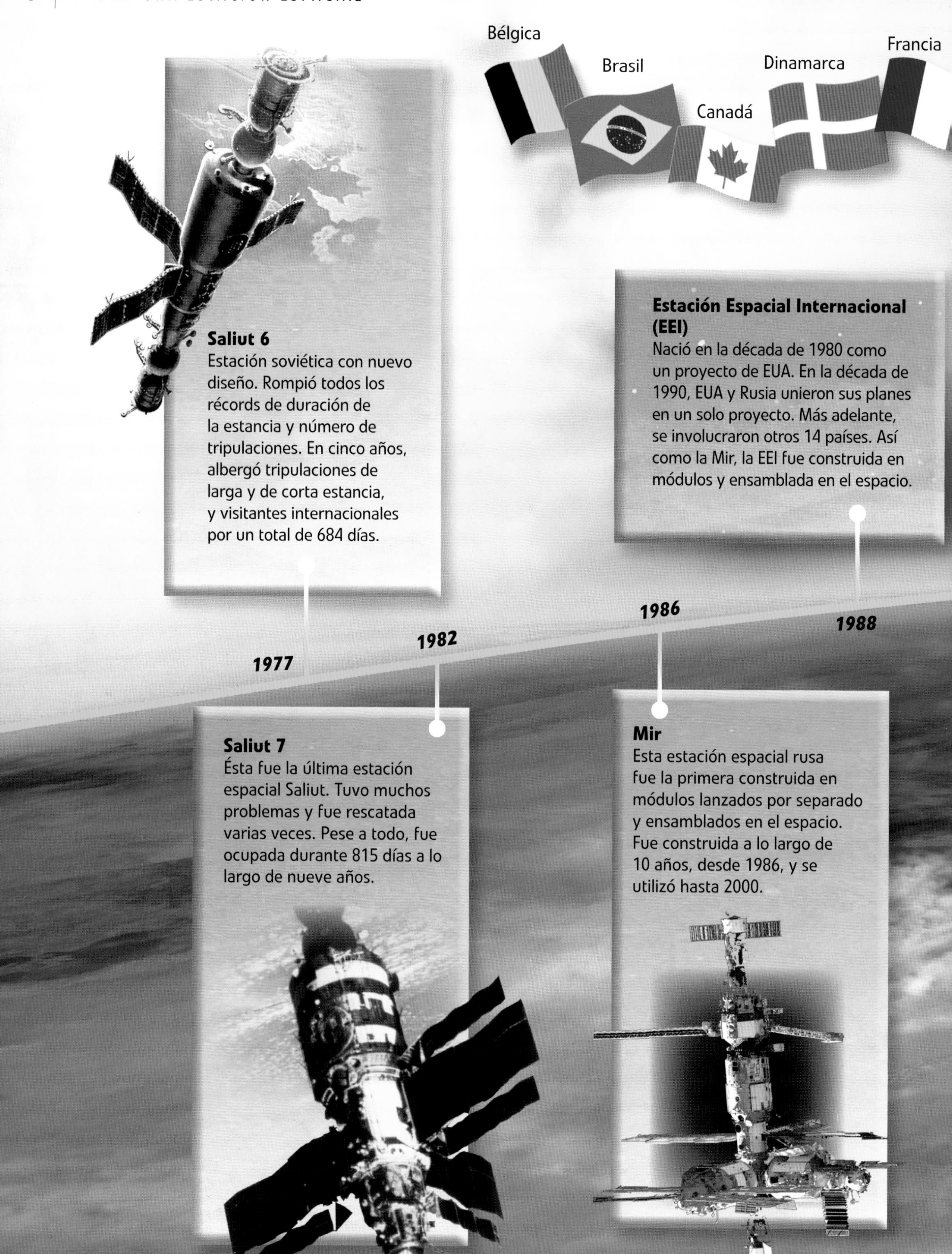

Saliut 6
Estación soviética con nuevo diseño. Rompió todos los récords de duración de la estancia y número de tripulaciones. En cinco años, albergó tripulaciones de larga y de corta estancia, y visitantes internacionales por un total de 684 días.

Saliut 7
Ésta fue la última estación espacial Saliut. Tuvo muchos problemas y fue rescatada varias veces. Pese a todo, fue ocupada durante 815 días a lo largo de nueve años.

Mir
Esta estación espacial rusa fue la primera construida en módulos lanzados por separado y ensamblados en el espacio. Fue construida a lo largo de 10 años, desde 1986, y se utilizó hasta 2000.

Estación Espacial Internacional (EEI)
Nació en la década de 1980 como un proyecto de EUA. En la década de 1990, EUA y Rusia unieron sus planes en un solo proyecto. Más adelante, se involucraron otros 14 países. Así como la Mir, la EEI fue construida en módulos y ensamblada en el espacio.

ania Italia Japón Países Bajos Noruega Rusia España Suecia Suiza Reino Unido EUA

La construcción de la EEI

Por su costo y complejidad, es una buena idea que los países unan fuerzas y trabajen juntos en estos proyectos. La EEI ha sido construida con módulos especializados y ensamblada en el espacio.

Año	Nombre	País	Misión
1998	Zarya	Rusia/EUA	Energía, almacenaje, propulsión, dirección
1998	Unity	EUA	Puntos de anclaje (módulo de conexión)
2000	Zvezda	Rusia	Módulo habitacional, sistemas de control del ambiente, control de órbita
2001	Destiny	EUA	Instalaciones de investigación, sistemas de control del ambiente, equipo de vida diaria
2001	Quest	EUA	Esclusa de aire para caminatas espaciales
2001	Pirs	Rusia	Puertos de anclaje
2007	Harmony	Europa/EUA	Núcleo de servicio que proporciona energía eléctrica y un punto de conexión central
2008	Columbus	Europa	Instalaciones de investigación con laboratorio y estación de montaje
2008	Kibo ELM	Japón	Módulo logístico de experimentos, parte del Módulo Japonés de Experimentos
2008	Kibo PM	Japón	Módulo presurizado, parte del Módulo Japonés de Experimentos
2009	Poisk	Rusia	Anclaje, esclusa para caminata espacial, interfaz para experimentos científicos
2010	Tranquility	Europa/EUA	Soporte de vida, puertos de anclaje
2010	Cupola	Europa/EUA	Observación de brazos robóticos, nave anclada y la Tierra
2010	Rassvet	Rusia	Anclaje y almacenaje de cargamento
2010	Leonardo	Europa/EUA	Piezas de repuesto y suministros
2011	Nauka	Rusia	Laboratorio de investigación

Para llegar ahí

En una estación espacial, la gente va y viene. Nadie vive ahí de forma permanente. Esto significa que debe haber una suerte de nave espacial que despegue de la Tierra, atraque en la estación y un tiempo después regrese a la Tierra. Existen dos formas de hacer esto: una nave espacial de un solo uso y una nave reutilizable. Ambas son costosas. La primera es como construir un coche para un solo viaje a otra ciudad. La segunda requiere un vagón resistente y de uso múltiple.

El transbordador espacial de EUA fue una innovación importante en los vuelos espaciales. En tanto nave reutilizable, podía hacer múltiples viajes al espacio. Es parte vehículo y parte carguero. Lleva astronautas de arriba abajo, lo mismo que suministros y equipo.

2

Potencia de cohete
Los cohetes impulsan al trasbordador hacia el cielo, trabajando duro contra la fuerza de gravedad.

1

Despegue
Seis segundos antes, los motores principales se encienden. Al momento de partir, dos cohetes aceleradores hacen ignición. Es imposible detenerlos, así que son los últimos en encender.

Torre de despegue

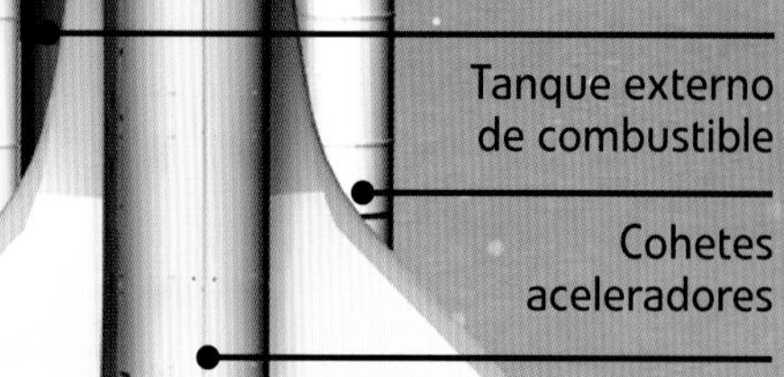

3

Separación de los cohetes
Tras dos minutos en el aire, los cohetes aceleradores se consumen. Se separan y caen en paracaídas a la Tierra para ser reutilizados.

4

Separación del tanque de combustible
La presión del motor principal se reduce para evitar que el transbordador estalle. Tras nueve minutos en el aire, el tanque de combustible, ya vacío, se separa. Al entrar a la atmósfera se quema.

5

Llegada al espacio
Tras diez y medio minutos de vuelo, los motores del Sistema de Maniobra Orbital (SMO) se encienden. Éstos impulsan a la nave a una órbita baja y, 35 minutos después, se encienden de nuevo para alcanzar una órbita más alta.

6

Anclaje en la EEI
El transbordador se acerca cuidadosamente a la EEI y ambas naves se acoplan.

Cómo ser un astronauta

ASTRONAUTA DE LA NASA

Requisitos del candidato:

NACIONALIDAD Estadounidense

EDUCACIÓN Licenciatura en ingeniería, biología, física o matemáticas

EXPERIENCIA PROFESIONAL Al menos tres años para especialista de misión; al menos 1 000 horas en aeronave de reactor para comandante o piloto

SALUD Debe pasar un examen físico espacial de la NASA

ALTURA Entre 148 y 193 cm para especialista en misión, o entre 157 y 190 cm para comandante o piloto

Los hombres y mujeres elegidos para entrenar como astronautas son un equipo de especialistas de élite. Deben ser saludables, diestros y experimentados. Su entrenamiento riguroso cubre todo, desde cómo vivir en el espacio hasta cómo sobrevivir si hay un problema.

Más que una caminata en el parque
Una caminata espacial es una actividad que requiere de un amplio entrenamiento.

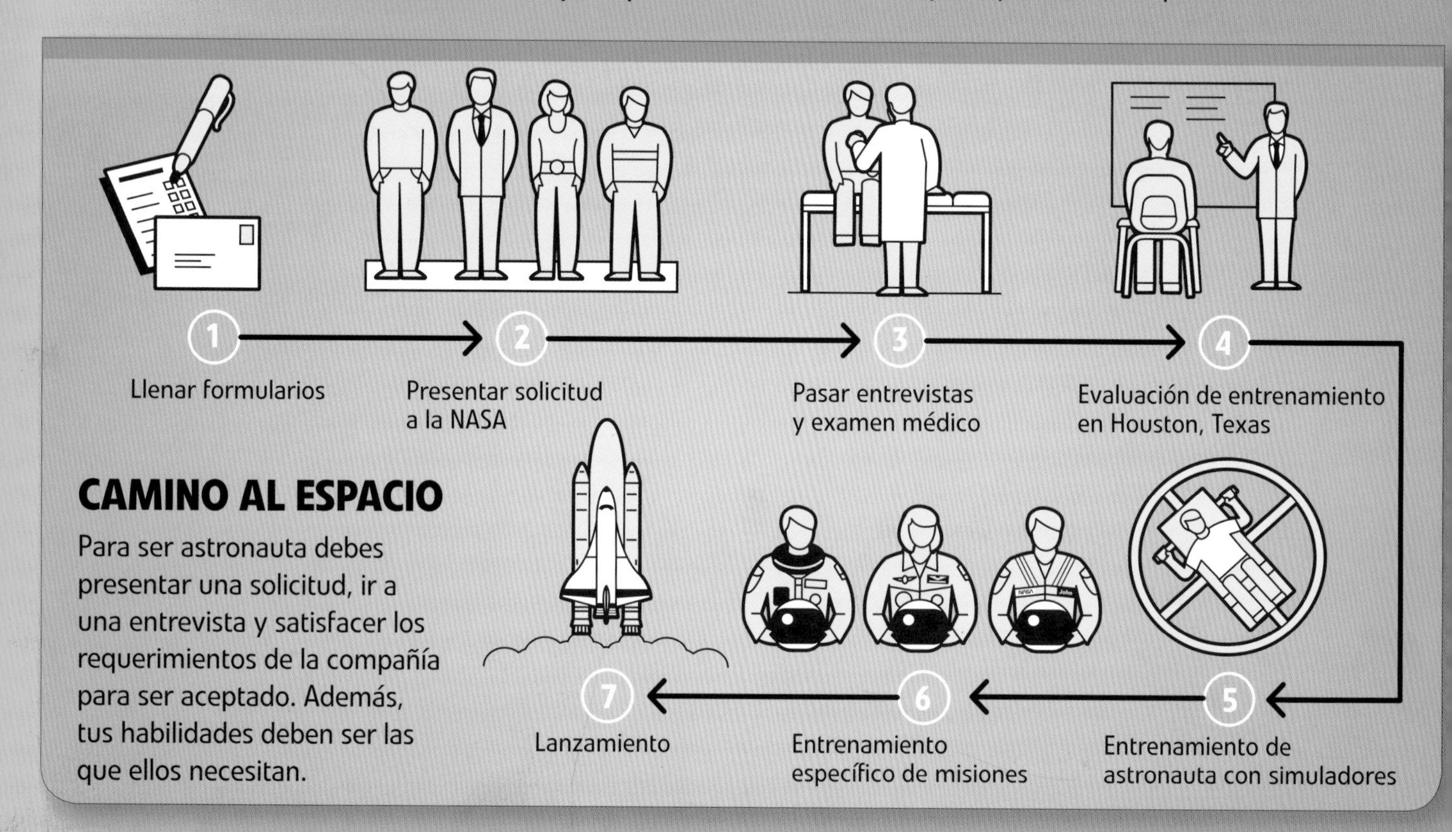

CAMINO AL ESPACIO

Para ser astronauta debes presentar una solicitud, ir a una entrevista y satisfacer los requerimientos de la compañía para ser aceptado. Además, tus habilidades deben ser las que ellos necesitan.

Entrenamiento para gravedad cero
En tanques de agua, se simula la ingravidez para que los astronautas practiquen sus tareas antes de ir al espacio.

Tareas de investigación simuladas
Esta guantera virtual se usa para practicar la manipulación de objetos como herramientas y especímenes científicos en el espacio.

Salida de emergencia
Los astronautas aprenden a salir rápidamente y sin contratiempos en caso de emergencia.

Supervivencia en el mar
Si los astronautas aterrizan en el agua, deben saber cómo sobrevivir hasta que llegue la ayuda.

Lista de entrenamiento

- ☑ Conocer los sistemas orbitales.
- ☑ Saber cómo funciona la estación espacial.
- ☑ Completar el entrenamiento Single Systems Trainer (SST), y poder operar cada subsistema orbital para el funcionamiento normal y corrección de fallas.
- ☑ Trabajar con simuladores complejos de misiones en transbordador y en tareas asociadas con fases de vuelo como prelanzamiento, ascenso y orbitación.
- ☑ Entrenar con los controladores de vuelo en el Centro de Control de Misiones (CCM).
- ☑ Practicar la ingravidez en tanques de agua.
- ☑ Practicar la preparación de comida, uso de cámaras, manejo de basura, almacenaje de equipo y realización de experimentos.

La vida cotidiana

Vivir en la EEI hace de las cosas habituales algo sorprendentemente desafiante. En un entorno de caída libre o ingravidez no hay ni arriba ni abajo, y todo flota. Actividades que se han hecho toda la vida, como comer, dormir y cepillarse los dientes, son distintas cuando las migas de pan que flotan sin rumbo pueden meterse en los ojos, o los músculos se vuelven peligrosamente débiles si no se ejercitan con regularidad.

Incluso ir al baño es peliagudo. Los astronautas deben sujetarse al baño para no flotar y un ventilador crea la succión necesaria para llevar los desperdicios del cuerpo a un contenedor de 19 litros.

DORMIR

En lugar de cama, los astronautas usan bolsas de dormir sujetadas a la pared para no flotar por ahí, chocar con las cosas y despertarse. Deben dormir cerca de un respiradero para no despertar en una peligrosa burbuja de dióxido de carbono exhalado.

HACER EJERCICIO

Es crucial para evitar problemas de salud debidos a la ingravidez. Los astronautas practican con caminadoras y bicicletas, y hacen muchas pesas para mantener sus músculos y huesos fuertes.

PASAR EL RATO

Los astronautas tienen días de trabajo muy planeados. Es preciso, porque hay mucho que hacer. En un día normal hay dos juntas para control de la misión, 10 horas de trabajo, además de comidas, mantenimiento, ejercicio y un poco de tiempo libre. Una cosa es cierta: la vida de un astronauta no es aburrida.

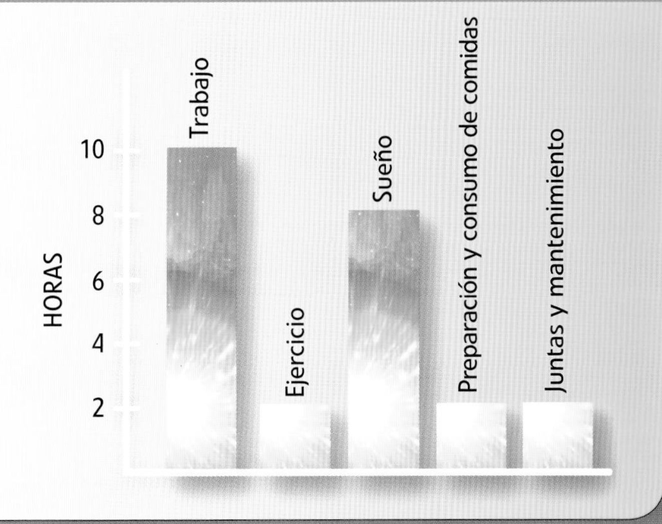

¡Los astronautas también necesitan tiempo libre! Los sábados trabajan sólo medio día y los domingos suelen ser días de descanso.

TRABAJAR

El trabajo consiste sobre todo en experimentos científicos a menudo relacionados con los efectos de la gravedad baja sobre el comportamiento de las cosas (vivas o no).

COMER

La comida, a menudo pegajosa, está preparada y empacada para evitar derrames y migas. Los astronautas comen tres veces al día, con mucho cuidado para que nada salga flotando.

REFRIGERIOS

Cuando les da hambre, los astronautas toman un refrigerio. Los refrigerios deben ser rápidos y fáciles. Pueden ser frutas frescas, nueces, pudín y quizá mantequilla de maní sobre un *brownie*.

MANTENIMIENTO Y REPARACIÓN

Si algo se rompe, ya sea un baño o una antena, los astronautas deben arreglarlo. Algunas reparaciones requieren caminatas espaciales, ya que deben hacerse por fuera de la EEI.

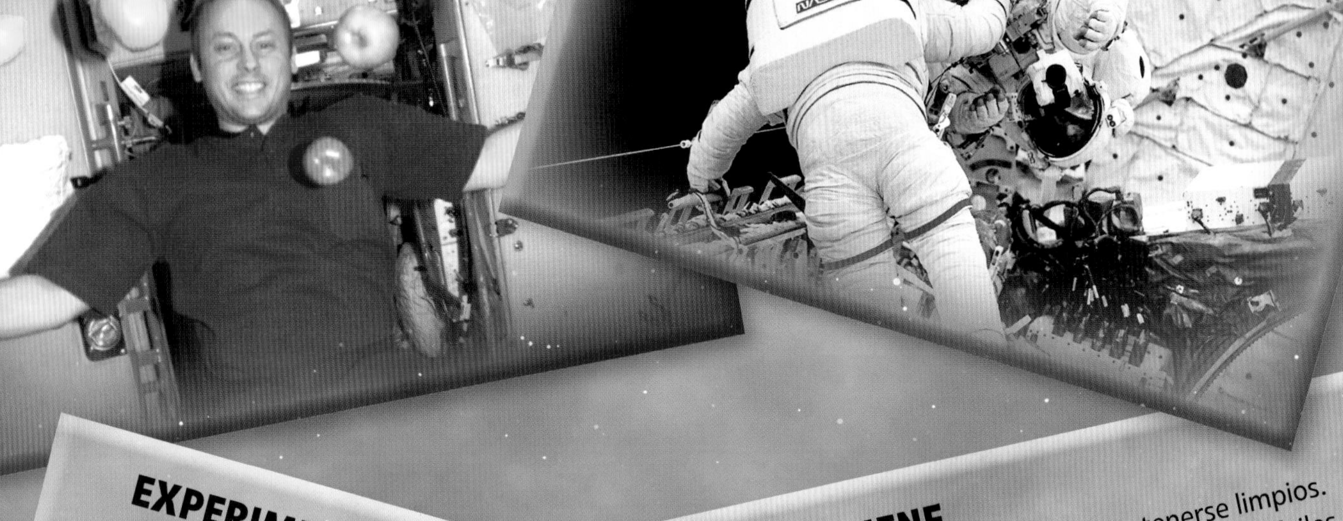

EXPERIMENTOS

Los astronautas realizan muchos experimentos en la EEI, algunos de semanas o meses. Observan cosas como los patrones de sueño, los efectos de la fatiga en los tiempos de reacción y las diferencias en el comportamiento de metales y plantas en caída libre.

HIGIENE

Los astronautas deben mantenerse limpios. Algunas tareas son relativamente fáciles, como cepillarse los dientes. Pero no se pueden bañar. En la EEI, la tripulación usa toallas húmedas para darse baños de esponj

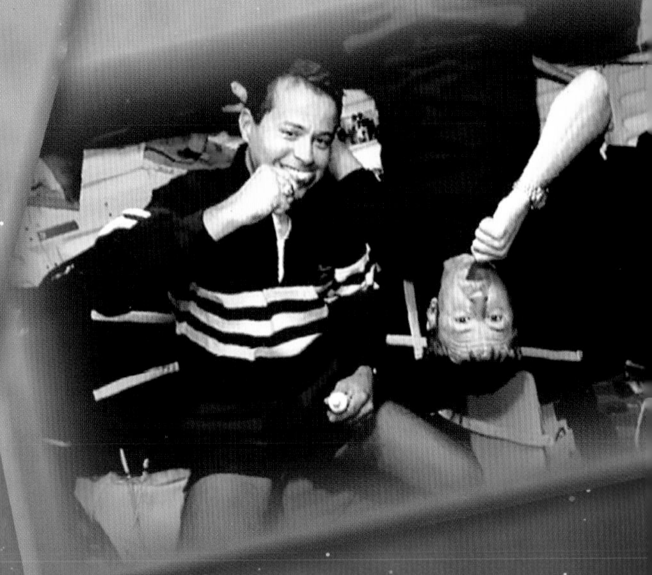

OCIO

En su tiempo libre, los astronautas pueden revisar su correo electrónico, escuchar música, leer o quizás escribir un diario. Con el paisaje que tienen, otro pasatiempo favorito es mirar por la ventana hacia el espacio y la Tierra.

ACICALAMIENTO

En el espacio, los cabellos sueltos pueden dañar el equipo. Así que al rasurarse o recortarse el cabello, unos tubos aspiradores succionan cualquier cosa que salga flotando.

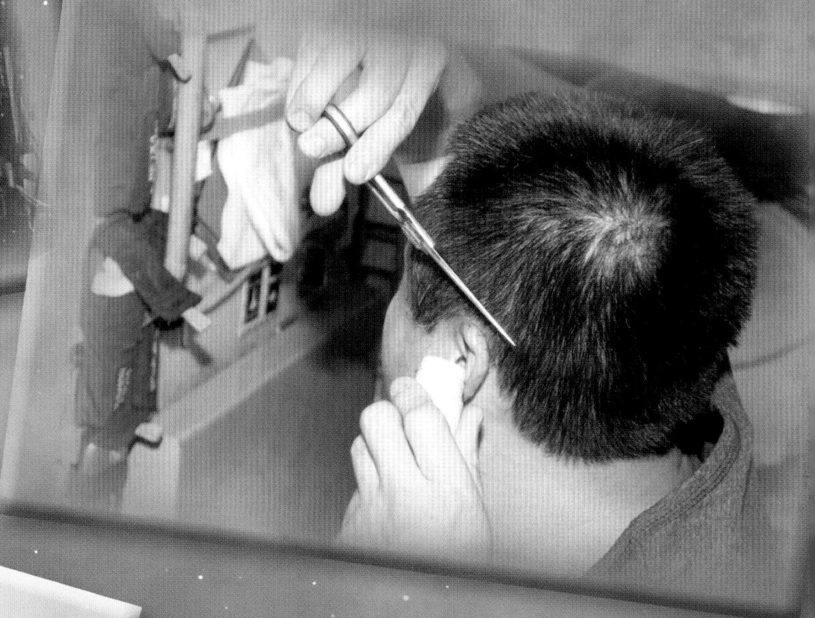

AL FINAL DEL DÍA

Sin duda, al irse a dormir, los astronautas miran la Tierra y los millones de estrellas y simplemente se preguntan sobre el universo en el que viven.

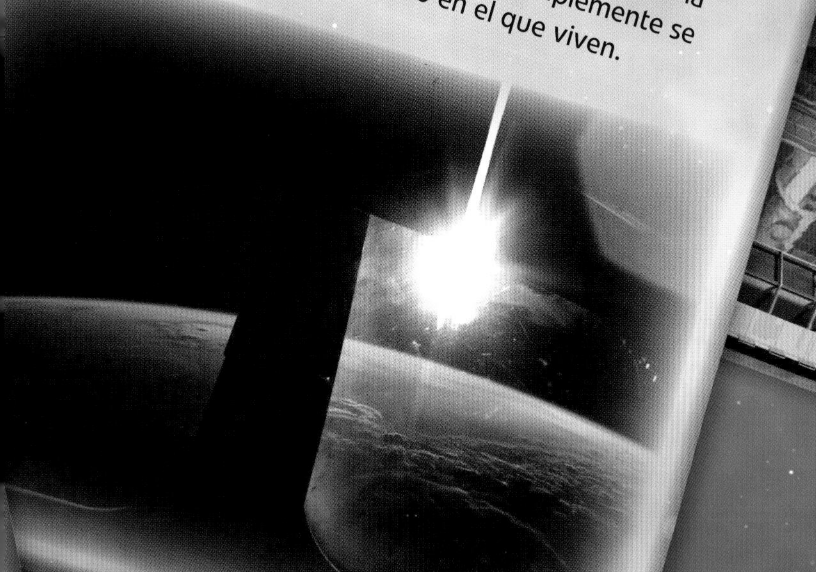

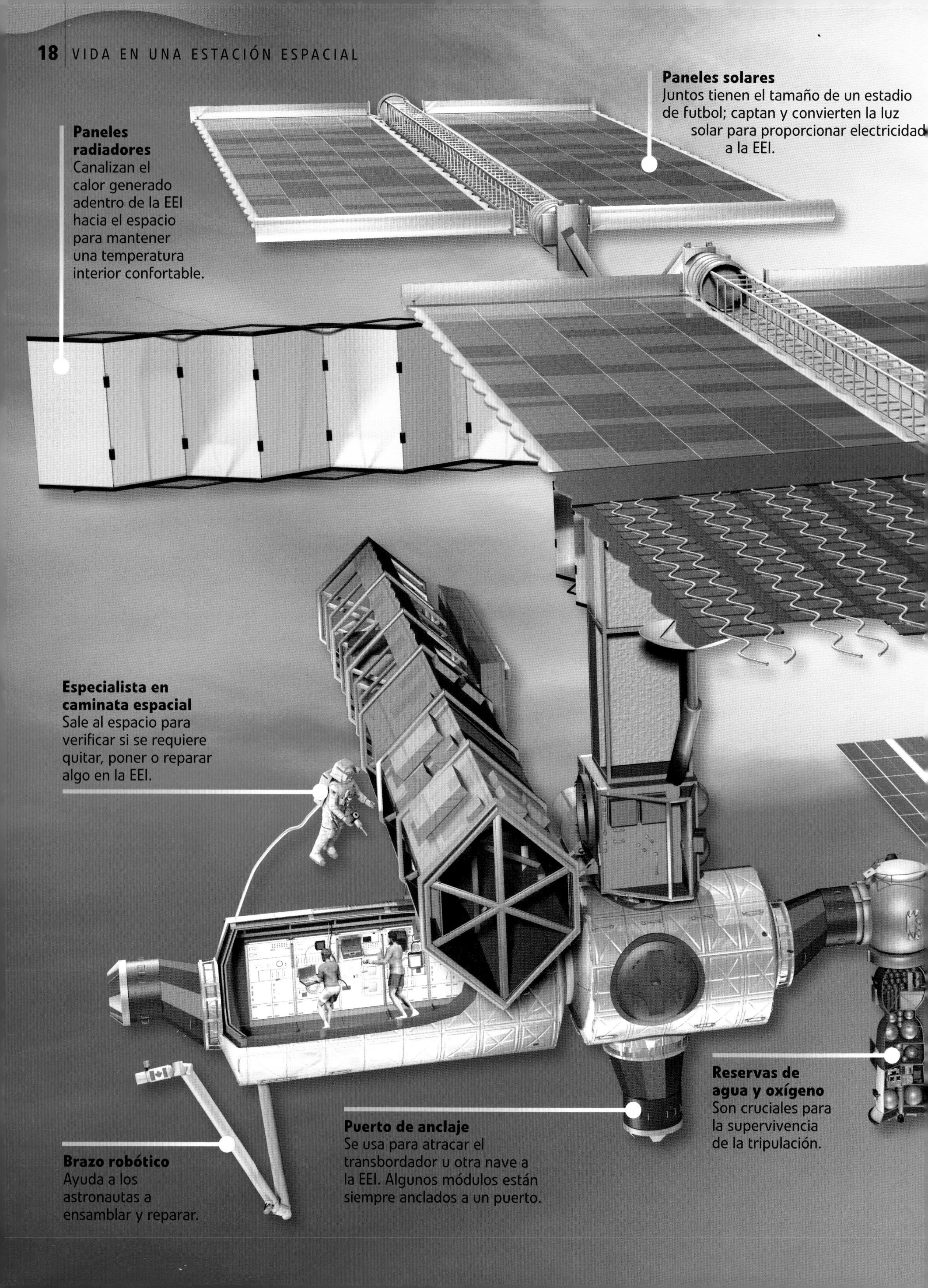

Paneles solares
Juntos tienen el tamaño de un estadio de futbol; captan y convierten la luz solar para proporcionar electricidad a la EEI.

Paneles radiadores
Canalizan el calor generado adentro de la EEI hacia el espacio para mantener una temperatura interior confortable.

Especialista en caminata espacial
Sale al espacio para verificar si se requiere quitar, poner o reparar algo en la EEI.

Reservas de agua y oxígeno
Son cruciales para la supervivencia de la tripulación.

Puerto de anclaje
Se usa para atracar el transbordador u otra nave a la EEI. Algunos módulos están siempre anclados a un puerto.

Brazo robótico
Ayuda a los astronautas a ensamblar y reparar.

“Ya sea hacia fuera o hacia dentro, en el espacio o en el tiempo, entre más penetramos en lo desconocido, más vasto y más maravilloso se vuelve.”

CHARLES A. LINDBERGH, AVIADOR ESTADOUNIDENSE, 1974

EEI: su interior

La EEI es una máquina inmensa y compleja que mantiene la vida humana en el hostil entorno del espacio. Se requirió de gran tecnología y habilidad para crear un lugar que pudiera mantener a salvo a los humanos y les permitiera desarrollar investigaciones útiles.

Cables conductores
La electricidad fluye a través de cables conductores desde los paneles solares hacia la EEI.

Área habitacional
Lugar para que la tripulación se reúna, coma, o se relaje.

Bahía de dormitorios
Hay lugares para dormir en toda la EEI.

Laboratorio
La tripulación realiza experimentos distintos en este laboratorio multipropósito.

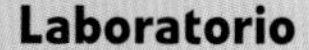

Esclusa
Aquí, los astronautas se ponen sus trajes espaciales y luego salen al espacio.

Espacio para moverse

Moverse dentro de la EEI es como desplazarse dentro de un autobús. Hay espacio, pero es estrecho y los astronautas deben ser cuidadosos.

Experimentos en la EEI

La EEI se utiliza sobre todo para la investigación científica. Desde sus inicios, se han realizado cientos de experimentos en una amplia gama de áreas. Se han hecho investigaciones de ciencias humanas, biología, fisiología humana, ciencia física y de materiales, y ciencias de la Tierra y el espacio.

Plantas en crecimiento
Comprender el crecimiento de las plantas en el espacio es crucial si se quiere viajar alguna vez más allá de la Luna. En el Experimento de Astrocultura Avanzada se cultivaron frijoles de soya para ver si producían semillas y ver si eran distintas en un entorno de gravedad baja.

Resistencia a la radiación
¿Qué pasa cuando los materiales han estado en el espacio por mucho tiempo? ¿Se deterioran o permanecen más o menos iguales? La Instalación de Exposición de Larga Duración estudió materiales, componentes y sistemas para ver qué pasaba cuando se les sometía a la chatarra espacial y los micrometeoros durante cinco años. Estos experimentos continúan en la EEI.

Puesto que la EEI está en una órbita baja, a sólo 350 km sobre la superficie de la Tierra, tiene una gran vista.

Observar la Tierra
Poder observar la Tierra desde el espacio resulta increíblemente útil. Contar con una imagen completa del planeta les permite a los científicos observar cambios que ocurren a lo largo del tiempo, como la deforestación, la erosión de la tierra y los efectos del calentamiento global. Este cosmonauta ruso usa una cámara con un lente muy grande para tomar fotos de la Tierra.

El huracán Isabel
La EEI es el lugar perfecto para observar los grandes patrones climáticos de la Tierra. En esta foto del huracán Isabel, de septiembre de 2003, el ojo del huracán es claramente visible en el medio. A la distancia, pueden verse las masas continentales.

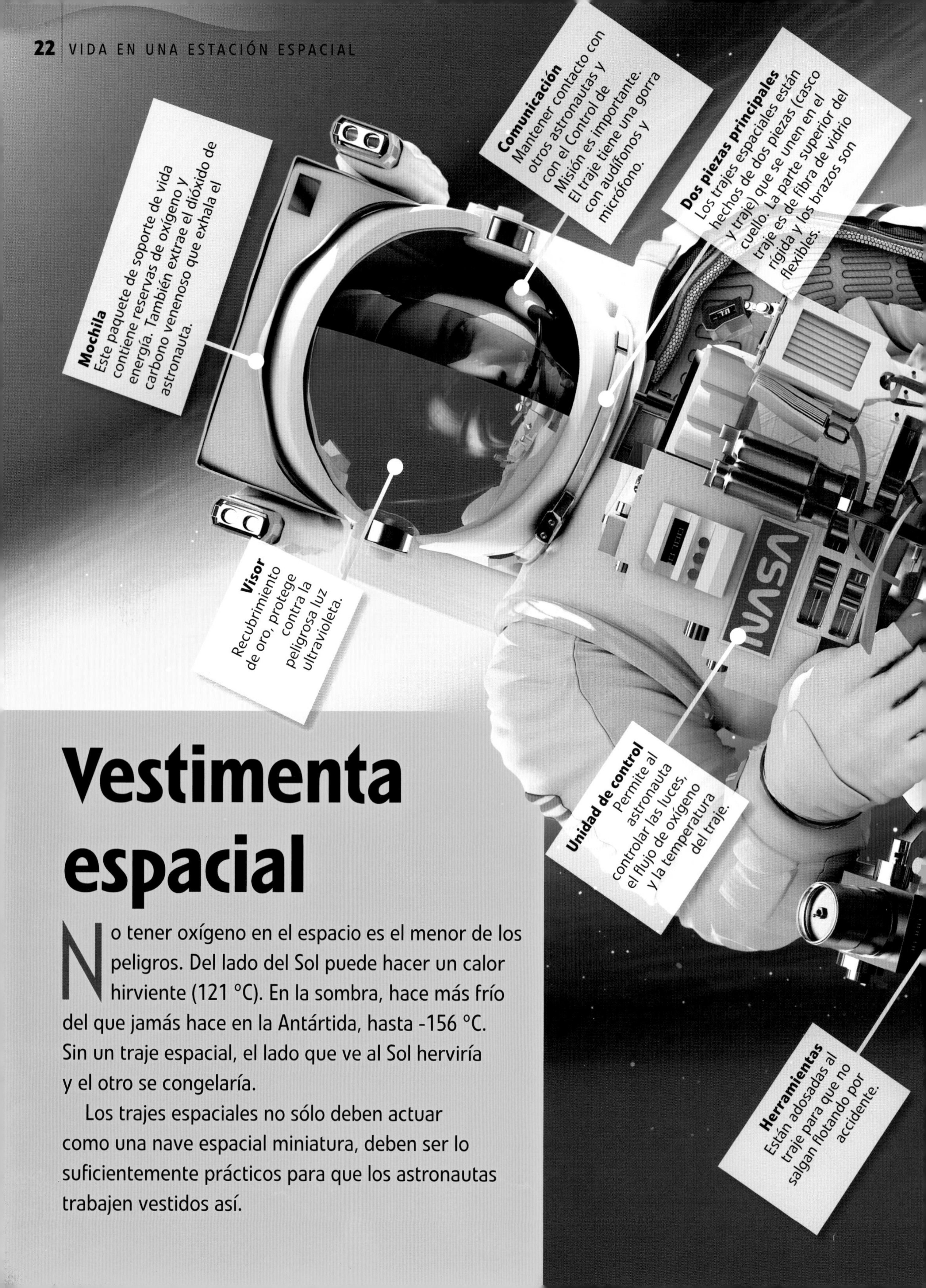

Vestimenta espacial

No tener oxígeno en el espacio es el menor de los peligros. Del lado del Sol puede hacer un calor hirviente (121 °C). En la sombra, hace más frío del que jamás hace en la Antártida, hasta -156 °C. Sin un traje espacial, el lado que ve al Sol herviría y el otro se congelaría.

Los trajes espaciales no sólo deben actuar como una nave espacial miniatura, deben ser lo suficientemente prácticos para que los astronautas trabajen vestidos así.

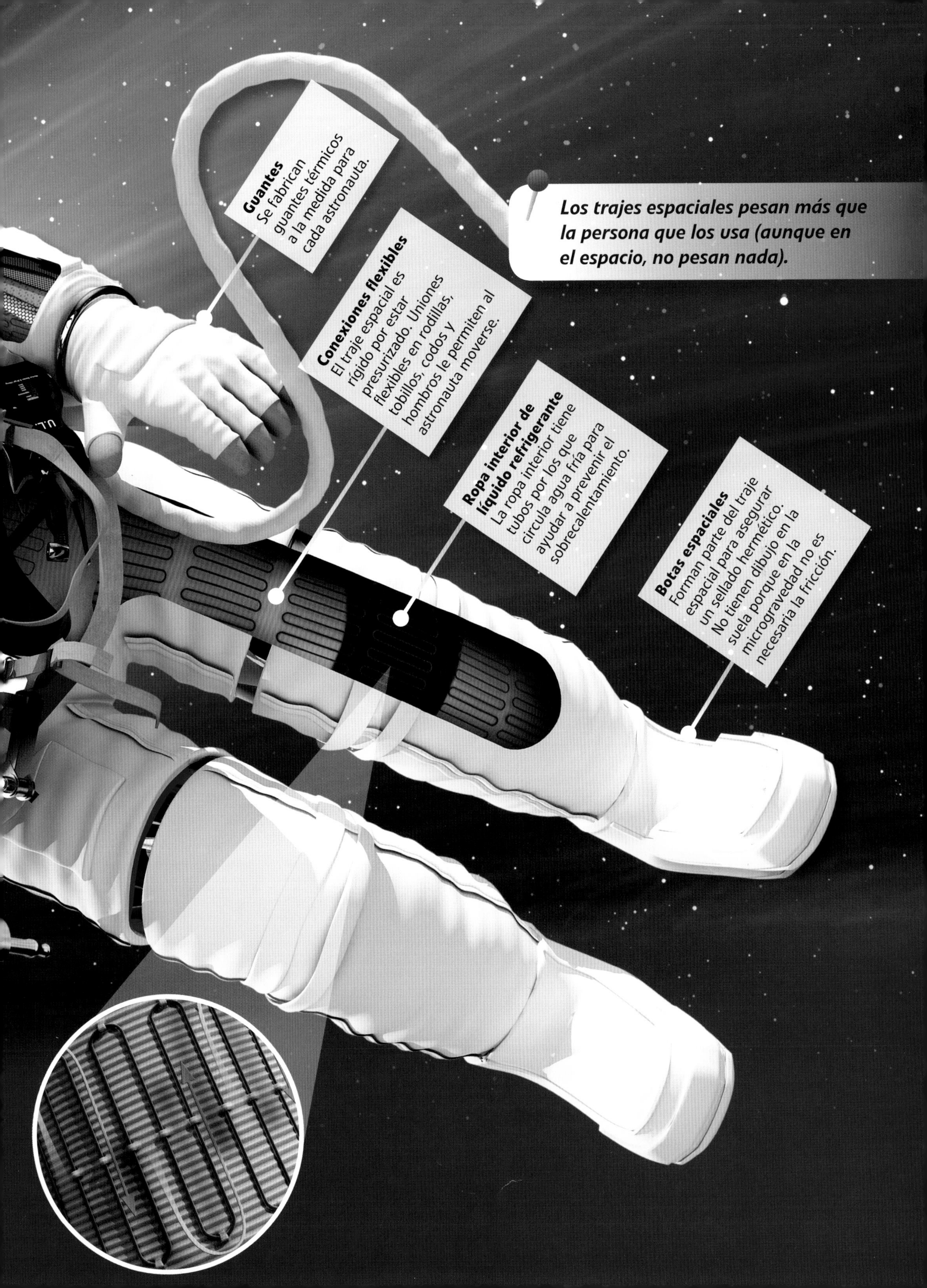

Guantes
Se fabrican
guantes térmicos
a la medida para
cada astronauta.
Los trajes espaciales pesan más que
la persona que los usa (aunque en
el espacio, no pesan nada).
Conexiones flexibles
El traje espacial es
rígido por estar
presurizado. Uniones
flexibles en rodillas,
tobillos, codos y
hombros le permiten al
astronauta moverse.
Ropa interior de
líquido refrigerante
La ropa interior tiene
tubos por los que
circula agua fría para
ayudar a prevenir el
sobrecalentamiento.
Botas espaciales
Forman parte del traje
espacial para asegurar
un sellado hermético.
No tienen dibujo en la
suela porque en la
microgravedad no es
necesaria la fricción.

Caminata espacial

UNIDAD DE MANIOBRAS TRIPULADA

El astronauta usa "cohetes impulsores" a base de ráfagas de nitrógeno comprimido para moverse en el espacio. La unidad se adosa al traje espacial y se controla con una palanca.

ESPECIALISTAS DE MISIÓN

Sólo astronautas entrenados llamados especialistas de misión pueden salir a dar caminatas espaciales. Salen cuando hace falta reparar, quitar o poner algo y un brazo robótico no puede hacerlo.

CÁMARA DE DESCOMPRESIÓN

Antes de salir al espacio, los astronautas dejan que su cuerpo se ajuste al vacío que experimentarán ahí. Para hacerlo, pasan un día en la cámara de descompresión, que ajusta lentamente su presión.

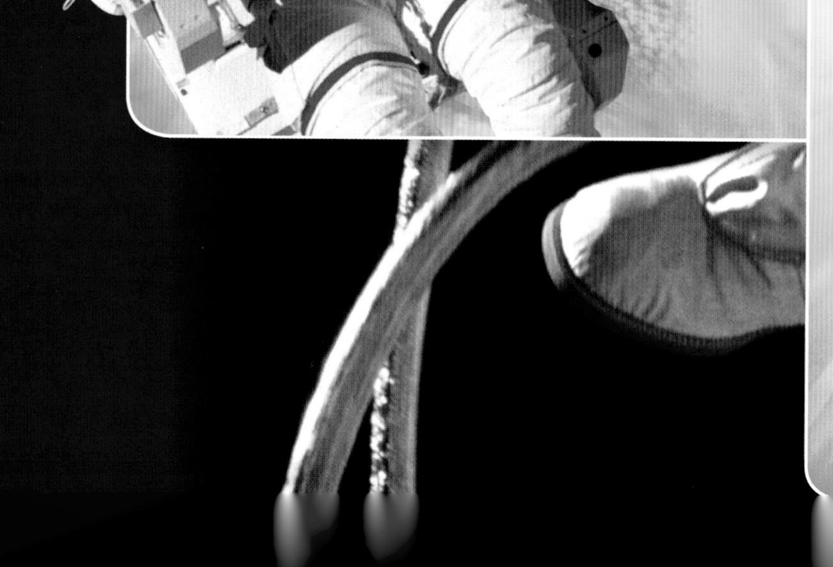

MANGUERA UMBILICAL

En algunas caminatas espaciales, los astronautas permanecen conectados a la EEI mediante una manguera umbilical que también les proporciona oxígeno.

Ed White

El primer estadounidense que caminó en el espacio fue Ed White. Pasó 20 minutos fuera de Gemini 4 en junio de 1965. White fue la segunda persona en caminar en el espacio después del soviético Alexei Leonov, quien pasó 12 minutos fuera del Vosjod 2 tres meses antes.

PROTECCIÓN NULA EN EL ESPACIO

Puesto que no hay una capa atmosférica de protección en el espacio exterior, como la de ozono que rodea la Tierra, las caminatas espaciales sólo pueden hacerse cuando la actividad solar es baja.

CAPAS DE PROTECCIÓN

Las 13 capas de material del traje espacial tienen un grosor de unos 9 cm. Dentro hay ropa interior con líquido refrigerante. Fuera, la capa blanca refleja la radiación solar.

Curiosidades

Con tantas actividades, experimentos, naciones y datos relacionados con las estaciones espaciales, hay muchas curiosidades sobre ellas. He aquí algunas de las más interesantes y extrañas que conocemos.

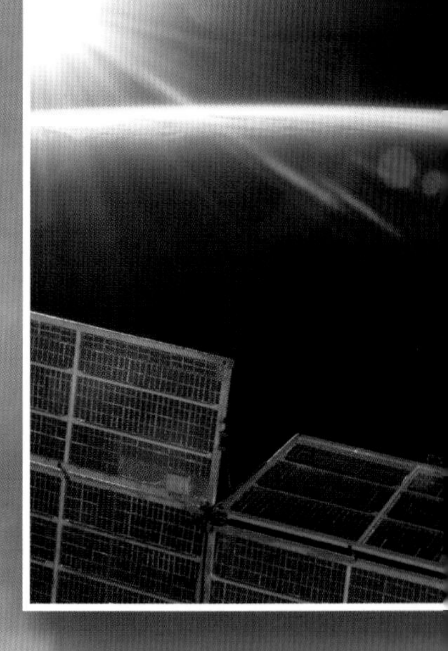

2 En 1973, en la estación espacial Skylab, dos arañas, *Anita* y *Arabella*, demostraron que podían tejer sus telas aun en el espacio.

88 Se necesitaron 88 vuelos espaciales para construir y ensamblar la EEI.

9 La caminata espacial más larga de todos los tiempos duró casi nueve horas. Fue realizada fuera de la EEI por Susan J. Helms el 11 de marzo de 2001.

90

Para una estación espacial en órbita baja, el Sol sale cada 90 minutos. Esto significa que hay unos 16 amaneceres y atardeceres cada día.

2

Desde el lanzamiento hasta el anclaje en la EEI, los astronautas pasan dos días en el transbordador. No está lejos, pero necesitan ajustar las órbitas.

6

Es el número de personas que conforman una tripulación completa de la EEI.

19 000

Para fines de noviembre de 2009, se estima que se habían servido unas 19 000 comidas en la EEI.

Enseñanzas del espacio

Con tantos estudios científicos desarrollándose en el espacio, es inevitable que algunos resultados bajen a la Tierra. De hecho, la exploración espacial en su conjunto ha cambiado mucho la forma en que vivimos, desde cómo hacemos raquetas de tenis hasta cómo probamos los autos.

Metal líquido
La NASA investigó materiales a la vez ligeros y muy fuertes e ideó un "vidrio metálico" que se ha usado en equipo deportivo. Es un material nuevo dos veces más fuerte que el titanio; puede fabricarse sin puntos débiles y resiste la deformación.

Materiales luminosos
La EEI tiene señales hechas de una sustancia que se enciende sola. Esta tecnología ha sido usada para fabricar señales, como las de salida, que se usan con poca luz. El material dura mucho tiempo, es resistente al fuego y al clima, no usa electricidad y no requiere mantenimiento.

Extremidades artificiales
La ciencia que ayudó a que el equipo espacial durara más y a mantener a los astronautas seguros se usa para mejorar prótesis. Incluye espumas para mayor comodidad y apariencia real, recubrimientos de diamante para mejorar la durabilidad de las articulaciones, y robótica para que funcionen como extremidades reales.

Lentes de sol
La NASA creó lentes para proteger a sus soldadores de la luz que despiden los sopletes. Los mismos tintes que filtran la luz pueden usarse para bloquear destellos en lentes de sol y para hacerlos resistentes a los rayones.

Pruebas de choques
La NASA creó un sistema de seguimiento con cámara para mejorar los procesos de ensamblaje robótico en la EEI. Los fabricantes de coches aplican ahora esta tecnología en sus pruebas de choques para evaluar el daño a los maniquíes.

Glosario

Almaz
serie de estaciones espaciales desarrolladas por la Unión Soviética con propósitos de defensa

astronauta
persona entrenada para ir al espacio

cámara de descompresión
habitación donde la presión atmosférica puede reducirse

caminata espacial
proceso en el que un astronauta sale de un vehículo espacial, a menudo para realizar reparaciones o mantenimiento

capa de ozono
capa de la atmósfera que contiene ozono, y que protege a la Tierra de la luz ultravioleta

cohete acelerador
cohete entero o añadido que se usa para que una nave espacial despegue

cosmonauta
astronauta soviético o ruso

dióxido de carbono
gas inodoro exhalado por humanos y muchos otros animales

esclusa
cámara situada entre el interior de una estación espacial y el vacío del espacio

estación espacial
estructura permanente o semipermanente utilizada para estancias largas en el espacio

Estación Espacial Internacional (EEI)
estación espacial desarrollada y utilizada por muchas naciones

ingravidez
sensación aparente de falta de peso o "gravedad cero" cuando un astronauta y una estación espacial están ambos en una órbita de caída libre

laboratorio
lugar donde se llevan a cabo experimentos científicos

luz ultravioleta
luz invisible al ojo humano y con mayor energía que la luz visible

Mir
estación espacial construida por la Unión Soviética usando un diseño modular innovador

módulos
unidades separadas de una estación espacial diseñadas para ensamblarse con otras unidades y funcionar juntas como un todo

panel solar
dispositivo utilizado para captar la luz solar y convertirla en electricidad

presurizado
hecho de tal manera que la presión en el interior es más alta de lo normal

protética
ciencia y práctica médica de las extremidades artificiales

radiación
energía que se mueve en forma de ondas o partículas, alejándose de una fuente de energía, como el Sol

Saliut
serie de estaciones espaciales desarrolladas por la Unión Soviética

sellado hermético
cerrado de tal modo que no permite el paso del aire u otros fluidos

simulador
aparato que imita el comportamiento de un sistema y que se usa para entrenar

Skylab
estación espacial lanzada y utilizada por EUA

tracción
resistencia de una superficie contra otra

traje espacial
traje que portan los astronautas cuando salen de su vehículo a una caminata espacial

Índice

Créditos y agradecimientos

CLAVE: a=arriba; l=izquierda; d=derecha; ai=arriba izquierda; aci=arriba centro izquierda; ac=arriba centro; acd=arriba centro derecha; ad=arriba derecha; ci=centro izquierda; c=centro; cd=centro derecha; ab=abajo; abi=abajo izquierda; abci=abajo centro izquierda; abc=abajo centro; abcd=abajo centro derecha; abd=abajo derecha; f=fondo

CBT = Corbis; DSCD = Digitalstock; iS = istockphoto.com; N = NASA; SBCD = Stockbyte; SH = Shutterstock; TF = Topfoto; TPL = photolibrary.com

contraportada N; **4**f N; **6**abd N; abc, abi TPL; **7**a, ai N; **8**abd; abd N; abc, ai TPL; **9**c N; **10**a, ad N; **11**abc, c, ci, ai N; **14**abi, abd, ai N; **15**abc, abd N; **16**ab, abi, ci N; ad SBCD; **17**ab, cd, ai N; **20**c, ci, ad N; **24**abd CBT; c, ci, ad N; **24-25**f N; **25**abc, abd N; **26**ci iS; ab, abi N; f DSCD; **26-27**ac N; **27**abc, f N; c TF; f DSCD; **28** abi SH; ci TPL; **28-29**abc iS; **29**ab, abd, ad iS; **31**c TPL; **32**abd N